CONTENTS

노리코!!

노… 리코…?

그… 그럴 수가….

모르겠습니다. 강력한 전자파로 레이더가 먹통이라….

적은… 건버스터는 무사한가?!

전황은 어떻게 되어가고 있나?!

아마도…
건버스터는
그 폭염에
휩싸여버린 게
아닐까 싶습니다….

다만,
확인된 것만으로도
수폭 급의 폭발이
있었던 것으로
여겨지는데…

레이더
정상
작동합니다!

…어떻게
이런
일이…

현재로서
적의 그림자는
보이지
않습니다!!

건버스터도….

—잠시
만요.

긱……

규이이 이이….

다행이다ー.

노리코…

스미스…

무사
하셨군요…
언니ㅡ.

정말이지,
너는!

내가
그만큼이나
무모한 짓
하지 말라고
했는데…!

…그렇지만

ㅡ…죄,
죄송해요,
언니….

넌 내 생각보다
더 훌륭하게
성장했구나.

너의
그 무모함
덕분에
우리 모두가
살 수 있었어.

고마워,
노리코.

너는 이미
어엿한
우주
파일럿이야.

언니…….

정말
고맙습니다,

린다….

노리코가
갚아줬어.

네 원수를….

린다ㅡ.

자,
다들
돌아가야지?

엑셀리온으로.

으음!

지금
돌아왔습니다!

타카야,
아마노,
용.
이상
세 명,

빠릿

노리코,
잠깐
볼일이
있어서

먼저
가볼게.

그 아이
자신의 힘과
코치님의
가르침
덕분이겠죠.

코치님.

노리코는
제 생각보다도
훨씬 더 강하게
성장했습니다.

저 역시 제 나름대로 노리코를 생각해 행동한 것이었지만

그게 잘못된 판단이었나 봐요…

뭔가 해주고 싶은 말이 있을 것 아냐?

훨씬 더 노리코를 잘 파악하고 있었던 것 같아요.

지금 생각해보면, 저보다도 융이

노리코가 걱정되지도 않아?!

곁에서 함께 걸어갔어야 했던 거로군요.

저는 노리코를 우리 안에 가둬놓으려 할 게 아니라,

노리코의 파트너로 실격입니다.

…저는

꽁올-

너와
타카야는
불(火)이다.

아마노.

너희 둘이
힘을 합쳐
건버스터를
불꽃(炎)으로
만들어다오.

우주 괴수를
태워버리고
사람들을 비춰줄
희망의 등불로
말이야.

오오타 코치님, 향후 대응에 관한 회의가 있으니 브리지로 와주시겠습니까?

나다.

알겠다, 지금 가지.

통화 종료

…그리고 그때가 오면

완성된 건버스터가 다시 출격하게 될 거야.

…….

…무슨 일이 있었나요?

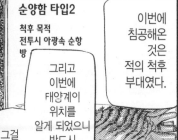

순양함 타입2

척후 목적
전투시 아광속 순항
방

이번에 침공해온 것은 적의 척후 부대였다.

그리고 이번에 태양계이 위치를 알게 되었으니 반드시 쳐들어오겠지.

그걸 위한 대책 회의다.

…아, 네….

지구를 지키기 위해서 타카야를—

건버스터를 부탁한다.

코치님….

실버 스타
제4브리핑룸

…….

지구에선
벌써
10년 가까이
지나버렸다는
소린가요?!

2032년
?!

아광속과
워프 중에는
우리와
지구의
시간 흐름에
차이가
발생한다.

전부터
설명해
줬지만,

그…
그거야
그렇지만
….

우주 파일럿이
된 이상,
당연히 각오는
했을 텐데?

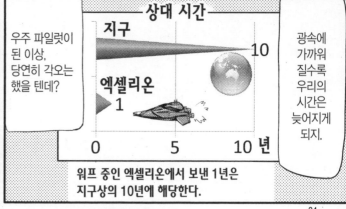

상대 시간

지구

10

엑셀리온

1

0   5   10 년

광속에
가까워
질수록
우리의
시간은
늦어지게
되지.

워프 중인 엑셀리온에서 보낸 1년은
지구상의 10년에 해당한다.

오키나와

제16회
졸업식

제국 우주군 부속
오키나와 여자 우주 고등학교

여자 우주 고등학교

관계자 외
출입 금지

졸업생… 2명.

아, 고맙습니다.

어라?

자.

...언니는 이 뒤에 무슨 예정 있으세요?

난 오늘 가족들과 식사하기로 되어있는데, 너는?

괜찮아.

죄송합니다. 저도 모르게 감상적이 돼서….

그래… 잘 지내고 있으면 좋겠네.

네!

저는 오랜만에 키미코에게 연락을 해보려고요.

벌써 결혼해서 애가 있을지도 모르겠는걸.

그렇지만 27살인 키미코라니… 도저히 상상이 안 돼요.

에이, 설마요!

어머, 왜 그렇게 생각해?

말도 안 돼요. 키미코가 그럴 리는….

그치만―

예?

…아, 저어.

움찔

키미코는 옛날부터 너무 소극적이라서….

노리…코?

STAGE.20

키미코…?!

엄미…?

……?

엄마!
왜 그래?

一엇….

오리코
언니?

…조그만
키미코?

아,
미안해.

있잖아,
타카미.
저 사람이
노리코
언니란다.

키미코…
그 아이는
설마?

엄마라는 건,
다시
말해서…
어, 그게….

응,
내 딸이야.

STAGE.20

아, 저기… 히구치?

아, 네.

……

……

……

지금은 아카이라는 성을 쓰고 있어요.

아, 예.

결혼 축하해. 지금 성은 어떻게 돼?

타카미, 잠깐 와볼래?

아이아야야

인간 아이야… 마음껏 쓰다듬어라…

이 아이는 타카미. 올해로 3살이 되죠.

얘도 차암. 입가에 다 묻었잖니.

스윽 슥

아하하.

자, 깨끗해졌다.

으응.

아아, 가려고?!

쫑쫑

쫑쫑

아라써!

있잖아, 타카미. 이 언니들한테 예의바른 모습을 보여줄래?

아녕하세여.
아카이 타카미,
세 사림니다.

…정말 귀엽다.

지…
진짜요!

어머나,
귀여워라.

어릴 적
키미코와
꼭 닮았어.

엄마.

그럼!

잘했어,
우리 딸!
아유,
예뻐라.

정말?

완전히
엄마의
얼굴을
하고
있네.

키미코…

10년이라는
시간이
흘렀구나….

진밀로…

그럼 노리코, 난 먼저 돌아갈게.

네, 고생하셨어요.

남편도 나도 일하느라 바쁘지만,

어린이집에 들러서 애를 데려오던 중이었거든.

이 아이의 미소를 보고 있으면

내일도 열심히 해야겠다는 생각이 들어.

응….

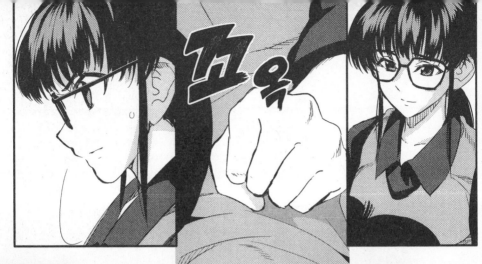

일부에서는
지구 탈출용
초거대 선박을
만들고 있다는
소문도···.

그렇지만
앞으로 더 많은
우주 괴수가
지구를 침공하는 게
아닌가 하는
말들이 돌고 있어.

저기···
이번
우주 괴수는
노리코네
부대가
퇴치
했다면서?

**노리코의
힘으로**

**타카미
만이라도
태워줄 수는
없을까?**

혹시
그 소문이
사실
이라면

그래서···
말인데···

연줄 덕 좀
볼까 싶어서
붙어다니는
주제에.

이 안경
너구리,

뻔하지,
자기 아버지 백
아니겠어?

왜
전멸딸이
우리 학교
대표야?!

어──?!

......응.

그러니까...
부탁해,
노리코!!

내가
할 수 있는
일이라면
뭐든지
할게.

너무 뻔뻔한
소리라는 건
알아.

하지만...
이 아이
에게는
미래가
있었으면
좋겠어.

키미코...

....

—윽….

일단
물어는
보겠지만…
아마
힘들 거야.

나 같은
말단에게
그런 힘은
없어.

꾸욱

그…
그래도,
노리코가
부탁
한다면…—.

…….

더구나…

특정한 누군가의
사정을 봐준다면
군 전체의
신용 문제로
불거질 수도
있으니까……

내… 내가… 지금 무슨 바보 같은 짓을—….

아—!

그, 저기….

아, 키미코….

어머, 벌써 이런 시간이 됐네?

저녁 준비도 해야 하는데.

미, 미안해. 말도 안 되는 부탁을 해서.

나는 이 나이가 돼서도 철이 안 들었다니까.

키미코
——…。

미안해,
노리코,
나중에
또 봐….

하아….

소중한 시간을
언제나 노리코와 같이
공유하게 해주세요.
키미코

키미코는
정말로
어머니가
됐구나….

타카미의
미래를
그 무엇
보다도
걱정하는
모습….

…키미코는—

어떻게
생각
했을까…?

키미코가
타카미를
걱정하는
마음은

나에게도
뼈저리게
전해져 왔어.

나에게는 1년 남짓한 우주 생활도

키미코에게는 10년 이상… 훨씬 전에 학교를 졸업하고 결혼해서 아이도 생겼잖아.

어머니가 된 키미코는

그래도 나를 친구라고 생각 해줄까?

키미코는 나를 원망할까…?

혹시 다가미를 구하지 못한다면,

설령
있다 해도
확인해보기가
무서워….

…확인해볼
방법도
없고,

나는
어디로
돌아가면
좋지?

만약
키미코가
잘 다녀왔다는
인사로
맞아주지
않는다면

항상
이런 마음
이었어요…?

아빠는
우주에서
돌아올 때

…아빠.

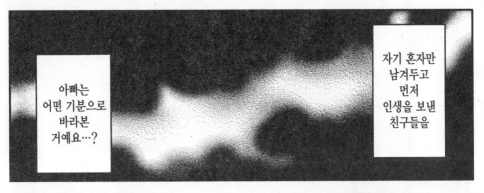

아빠는
어떤 기분으로
바라본
거예요…?

자기 혼자만
남겨두고
먼저
인생을 보낸
친구들을

아빠는
어떻게
생각
했는지.

묻고
싶어….

오키나와
공동묘지

타카야 유조의 묘

2015년 12월 19일

타카야 유조의 묘

아빠가 죽었다는 걸 인정 하기까지 20년이나 걸려 버렸네….

나 왔어요… 아빠.

자는 지금 쓸쓸하고 불안하고… 고독해요….

가껏 우주에서 돌아왔는데.

마음도 멀어져버리는 걸까?

아무리 어릴 적부터 절친이었다고 해도, 오랜 시간 떨어져 있으면

꼭 저 혼자만 세상에서 동떨어진 듯한 기분이에요.

제 친구 키미코는 제가 우주에 나가있는 동안 훌쩍 어른이 되어버렸어요.

우주 파일럿은 언제까지나 고독하게 싸우지 않으면 안 되는 건가요—.

알려줘요, 아빠….

타카야 유조의 묘

아…!

그…
그건….

……

키미코…?!
어떻게
여길….

…그리고 보니, 아빠의 묘…!?

키미코가 줄곧 돌봐드린 거야…?

혹시―

10년이 넘도록 방치됐는데 잡초 하나도 자라있질 않아.

……

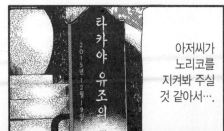

타카야 유조의 묘

2015년 12월 19일

아저씨가 노리코를 지켜봐 주실 것 같아서….

괜한 짓을 해서 미안해…. 그렇지만…

키미코….

노리코…
낮에는
미안했어….

나…
왜 너한테
그런 소릴
했던 걸까.

완전히
속물이
돼버렸다고
생각했겠지?

10년 만에…
어렵게 만난
친구한테….

분명
곤란해
한다는 걸
알면서도….

네 마음은
헤아리지도
않고.

…하지만
나에게는
타카비가….

옛날처럼
수다도
떨고
싶었고.

다시 만나면
물어보고
싶은 게
잔뜩
있었어.

딱히
마음에
두고 있지
않아.

괜찮아…
자식을 걱정하는 건
부모의
당연한 마음인걸.

나는…
내 자식만
생각하면서

노리코의
입장을
이용하려
들었잖아.

아냐…
그런 얘기가
아니라.

절컥

그 정도면
충분할 것
같은데?

…키미코는
여전히 날
친구라고
생각해줬고
아빠 묘도
돌봐줬잖아.

그게
나 스스로도
용서가
안 돼.

...오늘은 별이 참 예쁘다.

나 있지… 우주로 나가서 아름다운 광경을 많이 봤어.

오리온자리 근처에서 불타기 시작한 지 얼마 안 되는 항성.

탄호이저 게이트의 오로라.

...그렇지만
난 역시

지구에
있었다면
믿지도 못했을
광경들을
수도 없이.

오키나와에서
보는 밤하늘이
제일 좋더라.

어릴 적부터
항상 키미코나
아빠랑 봐왔던
이 광경이
제일 좋아.

...응.

…미안해,
키미코.

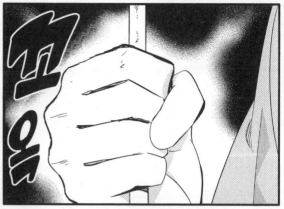

……

아무리
생각해봐도,
타카미
한 사람만을
구할 수는
없을 것
같아…

난
말이지—

타카미뿐만 아니라,
키미코랑
다른 사람들까지
모두 구하고
싶어.

그러니까 날 믿어줄래?

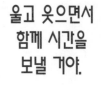

울고 웃으면서 함께 시간을 보낼 거야.

그걸 위해서라면 얼마든지 힘낼 수 있어.

…응.

고마워, 노리코….

파로마
천문대

무슨
일인가?

여기는
파로마
천문대.

뭐…?!

그래!

적이 너무
많다 보니
새까매서
아무것도
안 보여.

거문고자리
방면에
적의 대군?!

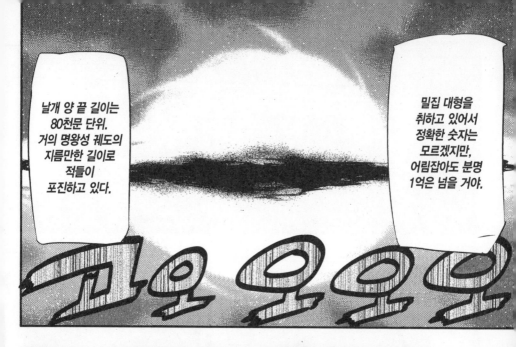

날개 양 끝 길이는
80천문 단위.
거의 명왕성 궤도의
지름만한 길이로
적들이
포진하고 있다.

밀집 대형을
취하고 있어서
정확한 숫자는
모르겠지만,
어림잡아도 분명
1억은 넘을 거야.

알아내는
대로
다시
연락할게.

이상!

최종 방위선
도달 시간은
아직 모르겠어.

...으음....

오키나와
여자우주
고등학교

쿡….

군령부 총무과
02:54

그런가,
알았다.

쿡…!

발작
간격이
점점
짧아지고
있어….

조금만 더…
조금만 더
버텨다오….

톱 부대 해산

대우주 귀족용 부대로서 출발한, 익크를 올리지 못한 채,

톱 부대의 피해 심각?

절반 이상이 전사했다는 보고도.
지휘부의 책임 중대.

…하지만
이대로
끝낼 수는
없어ㅡ.

전술 이론

오오타 소령님
오늘 발표에 대한
신문들 보았습니다
긴보쿠

지구
방위청

제국
수도

총력을 기울여서 반격할 수밖에 없어.

어쨌든 적이 쳐들어 왔잖나!

아직 16%밖에 장비 장착을 못 했습니다. 도저히 출격할 만한 상태가 아닙니다.

엘트리움은 어떻게 됐지?

군령부 총장

그걸로 전 방위에서 포위해오는 적을 어떻게 상대하려는 건가?!

완성 기체가 한 대 뿐이야!!

함대 정무 본부장

건버스터가 있잖나.

그렇지만 기존의 전력으로는 세상이 두 쪽 나도 승산이 없어!

작전은
간단합니다.

이번에
폐기 처분이
결정된
엑셀리온
1호함을

뇌왕성
(雷王星)과
함께
적의 태반을
집어삼킬
겁니다.

폭주한
축퇴로는
2분 40초 후에
인공 블랙홀이
되어

적 중심부로
보내,
워프 엔진인
축퇴로를
폭주시키는
거죠.

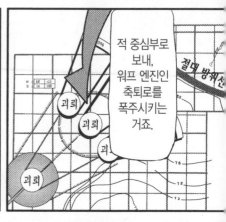

괴뢰

괴뢰

괴

괴뢰

적에게
대항할 수단은
건버스터밖에
없다!
그걸 알면서도
내버리자는
건가?!

바보 같은
소리!
엘트리움이
완성되지
않은 지금,

뭐라고
―?

현지까지의
호위는
버스터
머신을
사용
하겠습니다.

그럼 이대로 파멸을 기다리기만 하실 겁니까?!

지금을 놓치면 두 번 다시 기회는 없습니다!

건버스터는 지구의 근위 병기로서 후방에 대기시켜둬야 해!!

군의 사기를 고양 시킨다는 의미에서도

대략 5%에서 8% 정도가 될 것으로 여겨집니다.

흐음.

…그래서 오오타, 승산은?

윽—.

불확정 요소가 많아 확실히 말씀드릴 수는 없지만,

네.

성공할 경우에는?

실패할 경우, 우리는 엑셀리온과 건버스터를 농시에 잃게 되겠죠.

적 총수의 99%를 전멸시킬 수 있습니다.

......

... 그런가.

......

다른 의견 가진 사람 있나?

나는 오오타의 작전을 지지하고 싶네.

결정됐군.

―다음 날
오키나와

네!!

확실히
숙지해
두도록.

…이상이
이번 작전의
개요요.

……

코치님.

편도가
약 10시간,
전투 시간은
대략 4시간.

도합
24시간
정도로
예상하고
있다.

이번
작전 기간은
어느 정도나
소요될까요?

정말로
이런 작전이
잘 풀릴까요?

그게…
너무
현실적이지
않기도
하고…

이유를
말해
봐라.

좀 더
훈련을
쌓고
나서도ㅡ.

그렇다고
이렇게
서두를
필요는….

안 돼!

너희라면
가능하다고
생각해서
계획한
작전이니까.

이 작전의
열쇠는
너와
타카야의
연계에
달려있다.

그만큼
적 중심부로
들어갈
성공 확률도
낮아져.

지금은
1분 1초가
아쉬운
상황이야.

놈들이
이쪽으로
다가
올수록
작전
시간이
줄어든다.

언제까지 어리광이나 부릴 생각이냐, 아마노!!

그… 그렇지만 …!

너도 군인이라면 각오를 다져야지!

이건 이미 결정된 사항이다!!

이상!

출발은 15시간 후. 그때까지 시뮬레이션 훈련을 완료하도록.

먼저
실례할게요.

알겠습니다.

NEXT STAGE

과로에 의한 것이겠지. 잊어다오.

요 며칠간 격무가 이어졌으니

…걱정 마라.

괘… 괜찮으 세요?!

알겠지?

잊어라.

하… 하지만…

타카야… 지금 인류는 전례 없던 위기에 직면해 있다.

너희들 한 사람 한 사람은 미약한 불(火)에 불과해.

…….

그러나
불(火)과
불(火)이
합쳐지면
불꽃(炎)이 되지.

네!

너희들의
힘으로
인류의 미래를
쟁취해다오!

인류를
구할 수
있는 건
너희들과
건버스터
뿐이다.

겨우
내 역할도
끝난다.

건버스터를
완전히
저 녀석들에게
맡길 수만
있다면,

...이로써
간신히

다카야
제독님.

톱 부대 해산

톱 부대의 피해 심각?
절반 이상이 전사했다는 보고도.
지휘부의 책임 중대.

톱 부대
대원들.

대 우주 괴수용 부대

충분한 전과를 올

내 업보에서
해방될 수
있겠군….

제41호 작전 훈련 예정표

12 : 30 가상 전투

15 : 00 풀장에서
저중력 훈련

00 시사

탈의실

기지로 귀환했을 때 들어버린 그 얘기.

그것만 듣지 않았더라면….

오오타 코치.

Exelion

의무실

담당의 ____

알고 있습니다.

진통제를 먹어봤자 병이 낫는 게 아니에요.

이대로 두면 앞으로 반년도 못 버팁니다.

우주 방사선병이 3기까지 진행됐군요.

앞으로
두세 달이면
됩니다.
건버스터와
그 녀석들만
마무리된다면….

……

부탁
드립니다,
선생님.

코치님이
죽는다고
…?

코치님에게
남겨진
최후의
시간.

나는
임무 때문에
함께
보낼 수도
없어….

어째서…?

어째서
지금…
어째서
나인
거지…?

오키나와
우주 기지
다목적
풀장

※ 러시아어로 '안녕'이라는 뜻.

거기 둘,
※ 즈드라스뜨부이쩨.

…아, 그래?

그게… 언니는 이번 임무가 별로 내키지 않는 모양이에요…

…어라?

노리코, 쟤 무슨 일 있었니?

흐응.

......

오랜만에 대결해보지 않겠어?

어때? 카즈미.

나도 수영 좀 해볼까.

첨벙

너도 건버스터의 파일럿으로 선발됐으면

......

이제 그만 정신 차려야지!

난 진지하게 했어.

그럴 리가 없잖아!

어떻게 봐도 패기가 느껴지질 않는데!!

그리고…

내 기분도 모르면서 뭘 안다고 지껄여?!

너…

그거 진심으로 하는 소리야…?

나도 선발되고 싶어서 선발된 게 아니거든?

할 수 있는
일이라곤
의욕 잃은
파일럿을
격려하는 것밖에
없는…

이런
내 기분을
네가
알기나 하냔
말야!!

어째서
…

어째서
너냐고….

융 씨….

내가
해야만
하는 일…

전부 다
알아….

……
알고
있어.

미안해,
노리코.

네….

카즈미쟤도 참 애먹인
다니까.

아…
아뇨….

꼴사나운
모습을
보여
버렸네.

…네?

혹시…
코치님과
떨어지고
싶지 않아서
저러나…?

93

어…
예에??

그러니까
떨어지기
싫어서
고집 부리는
거라고
생각했는데….

카즈미 쟤,
코치님
좋아하는 거
아니었어?

그게
무슨
말씀
이세요…?

조용....

…전혀
모르고
있었어요….

노리코…
혹시
뭔가
눈치
못 챘어?

지난번 전투
이후부터
카즈미가 좀
이상했잖아.

그렇…
죠…….

─두 번 다시
못 만나는
것도….

딱히
두 번 다시
못 만나는
것도
아닌데
말야.

정말이지…
순진한 것도
꼭 좋은 일이
아니라니까.

그러고 보니….

뭐데?

코치님?!

각혈…?

코치님은 단순한 과로라고 하셨지만요….

아까도 기침 하는데 피가 섞여 있었고….

아, 아뇨. 그게 요즘 코치님 건강이 별로 안 좋으신 것 같아서요….

…응, 그럴 가능성도 있겠다….

…어쩌면—

혹시 언니가 그걸 알고 계션다면…

코치님한테는 휴식을 취하도록 내가 확실히 말해둘 테니까,

노리코 넌

내 말 맞지?

카즈미를 부탁해.

네!!

아…!

그래. 네가 그 벽창호를 멱살 잡고 끌어내.

부탁이요?

그리고… 너라면 할 수 있어.

그건 너밖에 할 수 없는 일이니까.

맡길게……!

잘 잤어, 키미코?

여보세요… 노리코?

다음에 만나면 난 할머니가 돼있을지도 모르겠네.

그래….

뭐?!

응.

…가는 구나

조심해서 다녀와야 해.

......

그… 그렇게 오래 걸리진 않아!

기껏해야 반년 정도인걸 …!

아하하, 농담이야, 농담.

애도 참….

난 믿고 있을 테니까….

노리코가 무사히 돌아올 거라고

잘 다녀와.

응,

그럼 다녀올게.

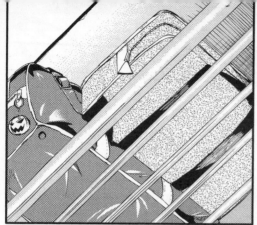

후우….

하긴,
하루 정도면
끝나는
임무니까요….

지, 짐이
별로
없네요,
언니.

그렇네.

노리코.

이…
있잖아요,
언니. 오카야마
에는―.

……

……

내 기분
풀어주려고
그러는 거지?
고마워.

아…
네에….

하지만 난
괜찮아.

걱정
하지 않아도
돼.

내가
해야 할
일을…….

—지금은…

……

슈우우우웅

버스터 머신 1호

버스터 머신 2호

타카야,
아마노.

드디어 인류와
우주 괴수와의
싸움에
종지부를
찍을 때가
왔다.

…여기까지
정말
잘 따라와
주었다.

타카야.

이제부터는
너희들의
시대다.

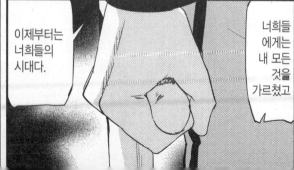

너희들
에게는
내 모든
것을
가르쳤고

…네!

너의 힘으로
인류의 희망을
되찾는 거다.

너는
타카야와
하나가 되면
더욱
강해질 수
있어.

아마
노.

부탁하마.

앞으로도
계속해서
타카야를
지원해주도록.

…네.

…….

코치님은―.

―코치님.

…
아닙니다.

뭐지?

제가
돌아올
때까지
살아계실
건가요…?

큭―….

그럼….

지금부터 우주 괴수 토벌을 위해 뇌왕성으로 출발 하겠습니다.

…타카야, 아마노 페어

그래.

버스터 머신 1, 2호 발사 합니다.

......

코치님의
몸은
그때까지
버틸까요?

엑셀리온
오토 파일럿
정상 작동 중.

버스터 머신,
엑셀리온과
동기화합니다.

엑셀리온
….

미안해,
마지막까지
….

8

9

가속
10초 전.

Operation Time

GMT : 2032 08/10 22:08:43

OT : 2032 08/10 22:08:43

이제부터는 언니와 나, 두 사람만의 시간이 흐르기 시작하겠지….

위가 지구 시간… 아직까지는 똑같이 흐르고 있어….

명왕성

이제 곧
뇌왕성
궤도에
도착.

오차
예정
범위 내.

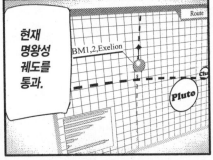

현재
명왕성
궤도를
통과.

Route

BM1,2,Exelion

Pluto

Operation Ti

`09/02 02:24:30`
`08/11 03:25:25`

Operation

`09/01 22:57:17`
`08/11 03:24:18`

Operation

`09/01 19:25:39`
`08/11 03:23:17`

언니, 슬슬 우주 괴수의 선두 집단과 접촉 합니다.

그래.

그건 그렇고,

돌입합니다!

큭ㅡ!!

크윽….

좌잇

슈욱

기에에에

─벌써 석 달?!
우리가
가속함에 따라
선내와
지구의 시간 차간
급속도로
벌어지고 있어….

Operation T

1/17 22:18.5

크…!

08/11 07:45.57

목표
좌표에
전혀
가까워지질
않아….

위를
봐요!!

언니!

이젠…
안 돼….

언니?!

더 이상은
못 싸우겠어
!!!

돌아오세요, 언니!

엑셀리온이ー!

저대로 두면 엑셀리온이 버티질 못해요.

부탁 드릴게요. 제발ー.

이제
그만해!!

언니ㅡ.

코치님….

아ㅡ.

이 일에
대해서는
더 이상
너에게
해줄 말은
없다!!

줄곧 거북한
사람이었는데.

타카야는 실전을 통해 성장해 나가는 수밖에 없다.

내가 하는 말은 전혀 듣지도 않고,

지금의 노리코는 전장에 내보낼 수 없어요!

끝까지 자기가 믿는 길만 걷는,

지금은 타카야를 완성 시키는 게 최우선이야.

그런 모습에 화가 치민 게 도대체 몇 번인지.

그런데도
하는 말은
언제나 옳았고,
우리의 모습도
확실하게
지켜보고
있다는 걸
알게 되면서…

타카야는
반드시
해낼
것이다.

건버스터와
함께
인류의 희망이
되겠지.

그때까지와는
다른 감정이
싹트기
시작했다.

어느샌가
내 마음속에

전부 다….

너무 늦게
깨달았던
거야.

움찔

코치님 얘기인가요?

…그건

그 사람은 이미 없겠지.

…우리가 지구로 돌아갔을 때

……

코치님이 그렇게 쉽게 돌아가실 리가 없잖아요!

무… 무슨 소릴 하시는 거예요?

코치님은 우주 방사선병을 앓고 계셔.

남은 수명은 이제… 두세 달밖에 없대.

까악

!!

코치님은 세계를 구하려고 하는데, 세계는 코치님을 구해주지 않으니 말이야.

얄궂은 일이지 …?

이렇게
마음 아플
일도─.

그 사람만
만나지
않았더라면

그랬다면
평소처럼
있을 수
있을 텐데.

언니!!

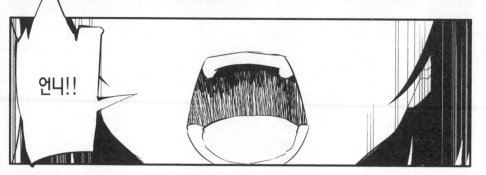

만나지
않았으면
좋았을
거라니,

그렇게
슬픈 말은
하지
말아주세요….

코치님은 아직 살아 계시니까.

지금 이 시간에도 우리가 우주 괴수를 쓰러뜨리기만을 기다리고 계세요!

이 세상에 없다고…!

그 사람은 이미…

GMT : 2032 12/02
: 2032 08/11

그럴 리 없어…. 지구에선 벌써 석 달도 더 지났단 말야.

코치님은
살아계세요.

아니요!

그런데
코치님이—

우리와
코치님은
지금도
같이
싸우고
있잖아요.

코치님의
눈에는
불꽃이
타오르고
있었으니까.

우리가
출발할 때

살아
있다
고요!!

코치님은
살아
있어!

우리만
남겨두고
돌아가실 리가
없어요!

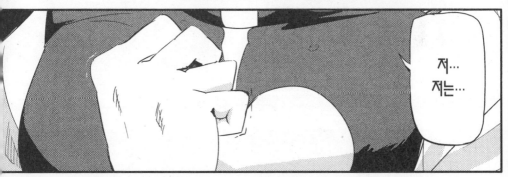

저...
저는...

언니가
저와 똑같은
실수를

반복하지
않았으면
좋겠어요....

언니는 그런 괴로운 일을 겪지 않았으면 좋겠어요.

일시적인 감정에 휩쓸리다가는 소중한 사람을 잃고 마니까요.

스미스는 죽지 않았겠죠.

만약 제가 그때 싸웠더라면

하지만, 언니에게는 '현재'가 바로 그때잖아요.

제 '과거'는 무슨 짓을 해도 절대 바뀌지 않아요.

GMT : 2032 12/06 09:4

OT : 2032 08/11 07:23

Operat

언니는 정말 바보예요!

그런데 아무것도 안 한 채 후회만 하다니,

!!

......

언니!

살얼음판 같은 길이지만

확실한 길의 형태를 유지하고 있잖아.

그렇지만 지금 일어선다면 자그마한 희망이라도 남아.

아무것도 안 한 채 포기하더라도, 나에게 남는 건 후회와 절망뿐…

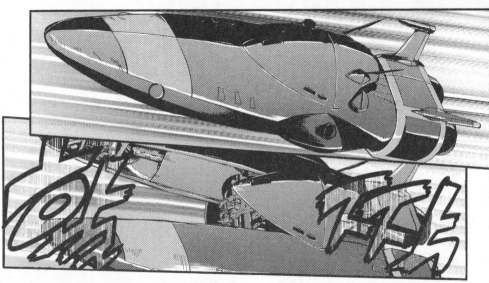

현재
위치
확인.

엑셀리온을
포착했어!

중순양함급
우주 괴수들이
다수 접근 중!
저대로 뒀다간
뭉개져버릴
거야!!

ㅋ 으 으으

그래,
좋아!

언니,

저걸
사용하죠!

합체한
건버스터를

평범한
머신이라
생각하지
않는 게
좋아!!

코치님의
마음이

기아아
아우.

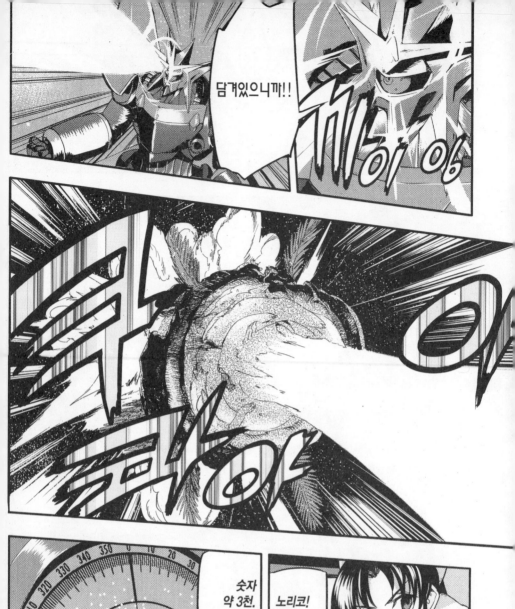

담겨있으니까!!

버스터
빔으로는
다 처리할 수
없겠는걸ㅡ!

숫자
약 3천.
광범위하게
산개!

노리코!
아래
쪽에서도
와.

윗—!

삐!
삐!
삐!
윗
삐!

삐!
삐!
삐!
삐!

네!!

노리코!
이걸
사용하도록
해!

…굉장하다.

역시…
언니는
대단
하다니까.

저렇게나
많은 숫자를
순식간에―.

언니의
불과
나의 불이
합쳐져

불꽃이 된
긴비으디는…

코치님
말씀이
맞았어.

언니와
함께라면
도저히
질 것
같지가
않아.

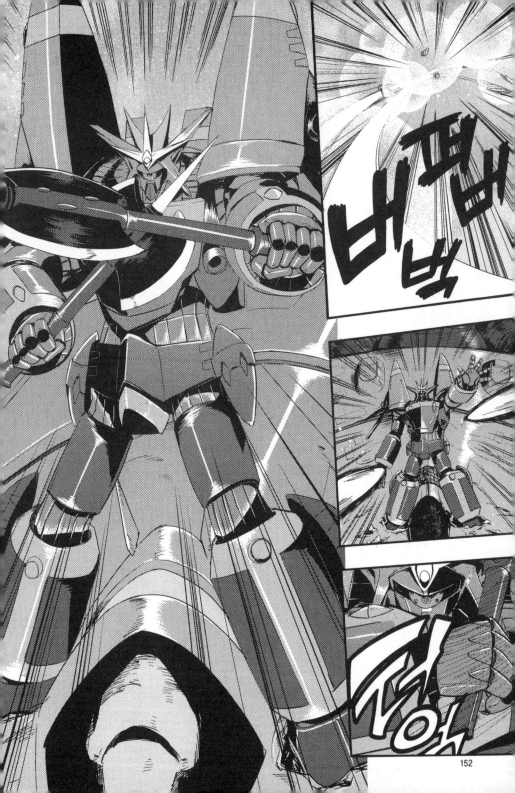

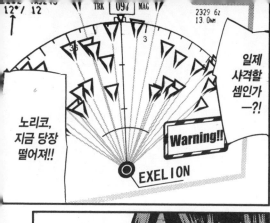

일제 사격할 셈인가—?!

노리코, 지금 당장 떨어져!!

Warning!!

EXELION

후우….

네!

…!! 이건—.

건버스터로 적의 공격을 막아내는 거야!!

엑셀리온의 전방 20km까지 나가서

늦지 마라—….

큭….

STAGE.23

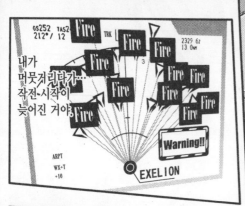

내가
머뭇거린탓가…
작전·시작이
늦어진 거야.

이대로 가면
늦어버리고
말아 —!

!!

무슨
방법이
…。

적을
이쪽으로
끌어
들이면서

동시에
엑셀리온과의
거리를 벌리지
않으면 —。

빔———!!!

노리코!
제로 방향!
대형이야!!

!!!

앞으로
2천만km
....

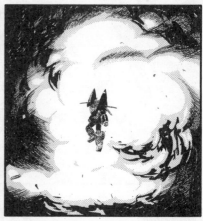

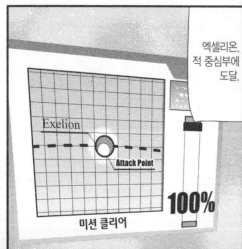

엑셀리온,
적 중심부에
도달.

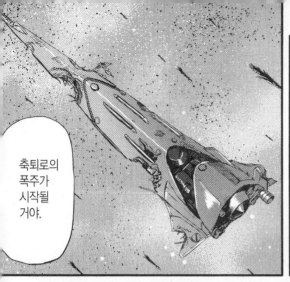

중력
반경을
넘어
섰으니…

축퇴로의
폭주가
시작될
거야.

엑셀리온…

워프 중에
외출 좀
했기로서니
너무한 거
아니냐고.

여기까지
온 김에
내가
해줄
테니까.

어차피
저기에
묶으면
되는
거잖아?

하하하,
무리
하지 마.

알았어.

잘 가….

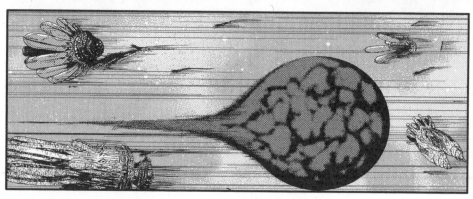

지구상
관측소
파로마
천문대

오오…!

작전
성공
입니다!

파로마
천문대에서
보고.

오늘 밤 10시 45분
G형 X선을
관측했으며,
인공 블랙홀 생성으로
적 총수의 98%가
소멸.

정말
잘해주었다.

후우….

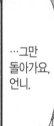

…그만
돌아가요,
언니.

끝났네….

코치님이
계신
지구로ー

크 아 아 아

여기는 건버스터.

실버 스타 응답 바랍니다.

아마노 대위 및 타카야 소위, 임무를 완료하고 지상 기지로 귀환 하겠습니다.

알겠습 니다.

여기는 실버 스타 작전실입니다. 감도 양호.

코치님…

오오타
코이치로
씨는…—?

저,
저기…!

중령님께서는
건버스터
출발 직후에—.

오오타
중령님
말씀입니까?

하코네
우주군
병원

아마노.

코치님…

무사 하셨군요 …

스윽

애 많이 썼구나.

…정말

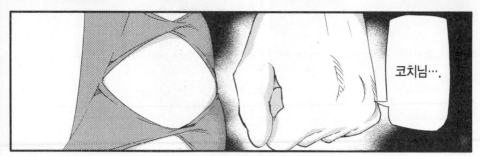

코치님….

—…아니,

코이치로 씨.

말하지 못했던 게 있습니다.

줄곧 당신에게

당신의 존재가 저에게는 커다란 힘이 되고 있다는 걸

지금 이라면 확실히 알고 있어요.

저도 자신의 마음을 깨닫지 못하고 이렇게 멀리 돌아오게 됐습니다만,

…코이치로 씨,

그래.

코이치로 씨!

어때?
스미스.
나 열심히
했지?

언니,
코치님…
정말
잘됐다….

이만하면
칭찬해줄
거야?

왜 건버스터에 타지도 않은 내가 카즈미 대신 참석해야 하는 거야?

너희가 돌아와서 열린 기자회견인데,

언니, 행복해 보였어요.

다 좋은데… 나는 무슨 죄냐고.

기자회견 말고도 정말로 힘들었단 말야.

그거야 나도 알지만—

그건 언니가 코치님이랑 조용한 시간을 보내고 싶다고 하셔서—.

너희가
출발한
뒤에

코치님은
병 때문에
휘청거리면서도
너희를
기다리겠다면서
꿈쩍도
안 하시지….

왜 매번
나만 이런
역할인지
이해가
안 돼.

병원에
집어
넣었다
니까.

결국에는
약으로
재워서

모두 다
융 씨
덕분이에요.

그래도
정말
고맙습니다.

2033년
12월 19일

열 달 후—

....

하지만,
그걸 위해서
너무나
많은 이들을
죽음으로
몰아넣었어.

나는
그것을
지키고
싶었다….

언제나
변하지
않는 게
있지.

시대가
변하고
사람이
변해도

나는
어떻게 해야
그들에게
보답할 수
있을까?

카즈미…

…코이치로 씨.

……그런가.

…… 고맙다… 카즈미.

■TO BE CONTINUED...■

작가 후기
Kabo 였다가 Wabo 였다가

만세!
좋아하는 걸
마음껏
그려야지
라고
생각했지만,

이번에는
후기 공간을
3페이지나
받아서…

카보챠
예요.

안녕하세요.
드디어
4권이
나왔습니다.

L o oo oong

트위터를
뒤져봐도
쓸데없는
말들뿐이라
도움도
안 되는
상태.

twitter

똥

된장

more! more! more!
re! more! more!

요 몇 개월 동안
일만 하다 보니
소재거리도
없고…

그 슬픈
사건이…

뭔가 없을까
고민하던 찰나,
하나가
생각났습니다.

드헤헤헤헷

삣

…응?

달리
하고 싶은
게임도 없고
줄고도
괜찮겠다
싶어서
샀는데….

충동적으로
게임기
본체까지
사버렸거든요.

게임

얼마 전에
갑자기
어떤
게임외
하고
싶어져서

본체에 묵혀버린 디스크의 무참한 모습이…!

으앙!

그래서 디스크를 꺼내 봤더니

꺽뻑 꺽뻑 꺽뻑

이상하네, 왜 반응이 없지…?

DEATH

이번에는 본체가 사망했습니다.

삑—

큭 헤헤 헤헤헤 이대로 끝낼 수야 없지! 게임을 하나 더 사서 도전!

…어라?

…도대체 왜 이래, 이거?

E 76

반짝

또야 …?

총 플레이 시간, 두 달도 못 채우고

싼 게 비지떡.

이번 일의 교훈.

우와아,
오랜만이다.
(누구더라...?)

야아—
카보챠,
10년 만이지?

마침 얼마 전에,
작중의 노리코와
똑같은 경험을
했기에
그대로 반영해서
그려봤습니다.

이번 얘기는
어떠셨나요?

본론으로 돌아가서.
Before
10년
After
비프 변은 우녀
♦ 변신 ♦

마지막 장면은
어떻게
해야 할지
많은 고민을
했습니다.
기대해주세요!

자아,
본편도 이윽고
다음 편이
라스트입니다!
그 완벽했던
최종화를
어떻게 만화로
녹여내야 할지….

그때 느꼈던
푸근한 감정이
잘 전해졌으면
좋겠네요.

너무 오랜만이라
여러모로
당황스럽기도 했지만,
막상 얘기를 나눠보니
속 알맹이는
그대로더라고요.

스페셜 땡스

또 봐요!

키우치 씨
사토 점장님   요시키 씨
사사키 님   요시무라 씨

그리고 이 책을 봐주신 모든 분들.

마지막까지
함께 해주셨으면 좋겠습니다 —

톱을 노려라! 4

2024년 4월 23일 초판 인쇄 2024년 4월 30일 초판 발행

만화_ Kabotya **원작**_ GAINAX

번 역_ 허윤 **발행인**_ 황민호 **콘텐츠1사업본부장**_ 이봉석
책임편집_ 장숙희/윤찬영/전송이/조동빈/옥지원/이채은/김정택

발행처_ 대원씨아이 **주소**_ 서울특별시 용산구 한강대로 15길 9-12
전화_ 2071-2000 **FAX**_ 797-1023 **등록번호**_ 1992년 5월 11일 등록 제 1992-000026호

ISBN 979-11-7203-072-8 07830 ISBN 979-11-7203-068-1(세트)

TOP O NERAE! Vol.4
©BANDAI VISUAL · FlyingDog · GAINAX
First published in Japan in 2012 by KADOKAWA CORPORATION, Tokyo.
Korean translation rights arranged with KADOKAWA CORPORATION, Tokyo.